LE BÉBÉ © LAROUSSE 2003

Chinese simplified translation copyright © 2007 by Beijing Science and Technology Press

著作权合同登记号　　图字：01-2007-1531

图书在版编目（CIP）数据

宝宝快长大 /（法）旺德维埃勒著；（法）维尔斯多尔福绘；

管玉荣译. － 北京：北京科学技术出版社，2009.6重印

（我的拉鲁斯小百科·了不起的身体）

ISBN 978-7-5304-3586-1

Ⅰ.宝… Ⅱ.①旺…②维…③管… Ⅲ.人体－儿童读物 Ⅳ.R32-49

中国版本图书馆 CIP 数据核字（2007）第 135845 号

作者：阿涅斯·旺德维埃勒　　绘者：安娜·维尔斯多尔福　　译者：管玉荣
策划：张艳　　责任编辑：张晓燕　　图文制作：北京博海升彩色印刷有限公司
出版人：张敬德　　出版发行：北京科学技术出版社
社址：北京西直门南大街 16 号　　邮政编码：100035
电话传真：0086-10-66161951（总编室）　　0086-10-66113227（发行部）　　0086-10-66161952（发行部传真）
电子信箱：bjkjpress@163.com　　网址：www.bkjpress.com　　经销：新华书店
印刷：北京地大彩印厂　　开本：950mm × 1440mm 1/40　　印张：4
版次：2007 年 10 月第 1 版　　印次：2009 年 6 月第 2 次印刷
ISBN 978-7-5304-3586-1/G · 629

定价：48.00 元（全套 4 本）

我的拉鲁斯小百科·了不起的身体

宝宝快长大

作者：阿涅斯·旺德维埃勒

绘者：安娜·维尔斯多尔福

译者：管玉荣

北京科学技术出版社

妈妈肚子里有宝宝啦！

爸爸和妈妈很开心，因为妈妈怀孕了，她肚子里有了一个小宝宝。

6

是男孩还是女孩呢?
他的头发是金色直发
还是棕色卷发呢?
眼睛是绿色、
蓝色还是黑色
的呢?

爸爸妈妈满怀期待:
这必将是一个
惊喜!

宝宝是从哪儿来的？

在最开始的时候，爸爸和妈妈很相爱。他们想有一个可爱的宝宝。

当爸爸的生殖细胞（精子）和妈妈的生殖细胞（卵子）相遇之后，会形成一颗很小的卵，它会在妈妈的子宫（好像婴儿袋一样）里生长：这颗卵就是后来的宝宝。

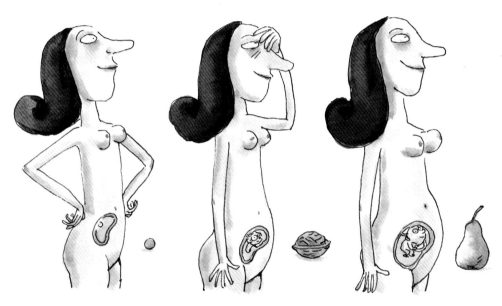

妈妈肚子里的子宫是有弹性的。

子宫会和胎儿一起长大。开始的时候，胎儿像豌豆一样大，然后变得像核桃一样大。

三个月时，一个成形的胎儿就已经长成了，不过这时的胎儿只有一个梨那么大。

漫长的九个月

妈妈怀孕后有时会觉得很累，她需要休息。

在小宝宝出生前，爸爸妈妈要为他准备很多东西。

小宝宝要在妈妈肚子里呆上九个月才会出生。
时间真是太长啦！几乎有一个学年那么久……

当胎儿渐渐长大的时候,
妈妈的肚子也会变大很多,
她需要换上宽松的新衣服。

在妈妈肚子里，宝宝一天天长大

医生可以通过仪器看到妈妈肚子里的小宝宝；医生也可以检查出胎儿是否健康、是否能很好地成长；医生还能知道妈妈肚子里的宝宝是男孩还是女孩呢。

有时候，妈妈肚子里会同时怀着两个孩子：这就是双胞胎。

四个月时，妈妈开始能感觉到宝宝在肚子里活动。

五个月时，宝宝的头发和指甲都长出来了。妈妈还能感觉到宝宝在肚子里踢来踢去。

六个月时，宝宝会吮指头，有时候还会打嗝呢。小家伙动得越来越厉害了！

爸爸和妈妈正在绞尽脑汁地为小宝宝起名字呢。

就像鱼儿在水中

妈妈的子宫里充满了一种神奇的液体——羊水，宝宝就像一条小鱼一样浮在里面。羊水会不断地更新，它在宝宝的发育过程中起着重要的保护作用。

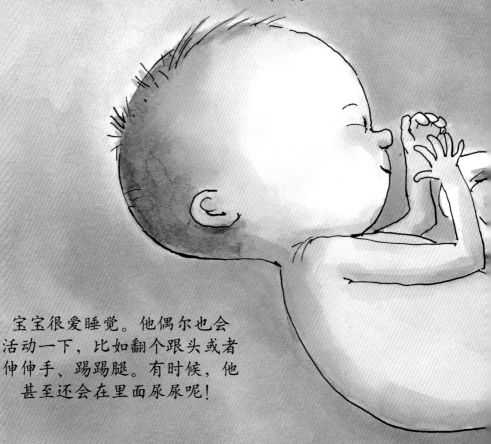

宝宝很爱睡觉。他偶尔也会活动一下，比如翻个跟头或者伸伸手、踢踢腿。有时候，他甚至还会在里面尿尿呢！

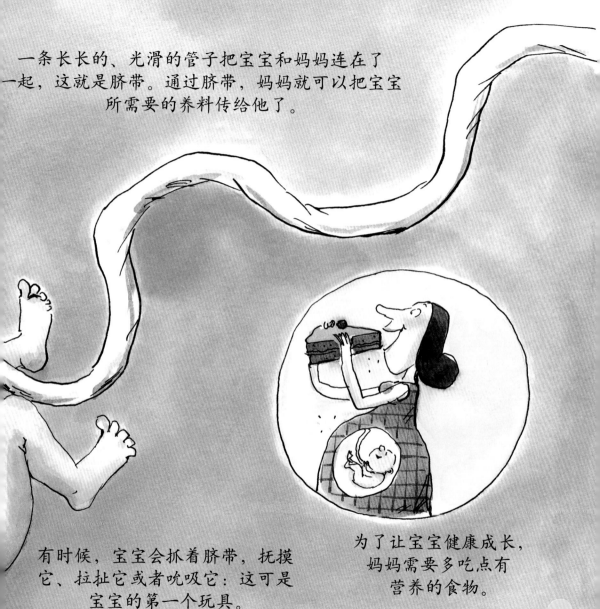

一条长长的、光滑的管子把宝宝和妈妈连在了一起，这就是脐带。通过脐带，妈妈就可以把宝宝所需要的养料传给他了。

有时候，宝宝会抓着脐带，抚摸它、拉扯它或者吮吸它：这可是宝宝的第一个玩具。

为了让宝宝健康成长，妈妈需要多吃点有营养的食物。

出生前的最后三个月

七个月大时，如果有人对宝宝说话，宝宝就可以听到说话声了。宝宝睁着眼睛的时候，如果妈妈靠近一束强光，宝宝会被惊动，因为这时的他可以感受到光线了。

八个月大时，宝宝会翻转过来把头朝下，做好出生的准备。妈妈也在为顺利分娩做准备，她还要做专门的产前体操呢。

九个月时，宝宝已经长得很大了，妈妈肚子里也没有多余的空间让他活动身体了。这时的宝宝就快要出生啦！

全家人都在为宝宝的
出生做准备。

买婴儿篮，　买衣服，

准备尿布。

奶奶在织一
些小衣服。

漂亮的婴儿房准备好了。

全家人也都
准备好了！

宝宝出生了

白天出生还是晚上出生，这是由宝宝来决定的。

妈妈感觉到她肚子里的宝宝快要出来了。

快！快到医院！

18

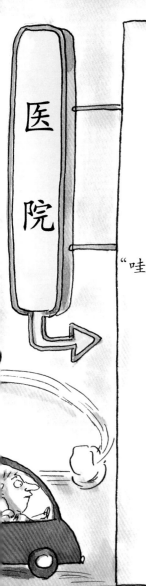

在医院，医生和护士都在帮助妈妈分娩。
分娩一般会持续几个小时。

"哇——哇——"，伴随着清脆的哭声，宝宝终于出生了！
刚出生的宝宝皮肤有点皱皱的。

第 一 时 刻

新生宝宝会在妈妈的肚子上停留一会。
这可是妈妈对他的第一次爱抚！

医生会把脐带剪下来，宝宝已经不再需要它了。这将在宝宝的肚子上留下一个伤口——肚脐。

医生要测试宝宝的各种反应能力。

护士会给宝宝测量体重和身高。

如果宝宝早产或者太弱小，他们出生后还需要待在暖箱里继续生长一段时间。

爸爸在给宝宝洗澡、

穿衣。

好漂亮的宝宝啊!

妈妈和宝宝会在医院住几天。
亲戚朋友都会来看望他们。
所有人都想见一见宝宝,他们给宝宝带来了许多礼物。
宝宝长得像谁呢?

爸爸把宝宝
出生的好消息
告诉了所有
的朋友。

爸爸还给宝宝拍了很多照片
做成纪念相册。

新生宝宝还要做户口登记。
办公人员会记录下宝宝的
出生日期和姓名。

23

新生宝宝的生活

新生宝宝都很贪睡，而且很容易饿。开始时，他每两三个小时就会醒一次要吃奶，甚至在深夜的时候，他都会醒来吃妈妈的奶水或者喝奶瓶里的牛奶。吃完后，小宝宝有时还会打嗝，这样能更好地消化奶水。

每天都要给小宝宝洗澡。

要经常给小宝宝换尿布。

小宝宝喜欢人们对他说话，他很快就能分辨出全家人的声音。

小心！宝宝很脆弱。抱他的时候要托住他的头。

宝宝的饮食

新生宝宝还没长牙齿，他只能吮吸母乳或牛奶。

宝宝需要尝试一些新的口味。有时候，他们会对常吃的食物产生厌烦情绪，把头扭到一边不肯再吃。

六个月大时，宝宝开始吃一些蔬菜泥和水果泥。

小宝宝还喜欢喝果汁。

将近八个月大时，宝宝开始吃一点肉，妈妈会把肉末拌在他常吃的蔬菜泥中。

这时候的宝宝还不会拿勺子。

看医生

在宝宝出生后的最初六个月里，他每个月都要去医院做检查。

儿科医生会给宝宝称体重、量身高，看看宝宝是否在健康成长。

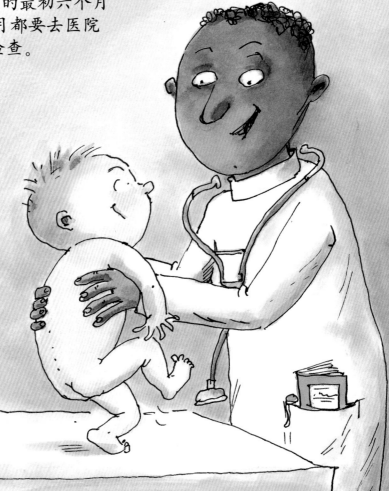

儿科医生在用听诊器听
宝宝的心跳和呼吸。

儿科医生还会给宝宝打
预防针来预防疾病。

宝宝在饥饿或困倦的时候
会大哭，有时候，宝宝会
一直哭……

他的耳朵很疼，嗓子也
不停地咳嗽，脸上还出了
疹子……宝宝生病了，要
马上去看医生！

宝宝长大了

宝宝每天都在进步。慢慢地，他学会了使用自己身体的各个部位来活动。

一个月大时，宝宝会对着你微笑了。他还会紧紧地拉着你的手指。

将近四个月时，宝宝可以把头部挺直，手脚的活动也越来越自如，他能把小躺椅弄得吱吱响呢。

将近六个月时，宝宝就可以试着坐起来了，而且他还会用手主动抓东西了。

将近八个月时，宝宝就可以坐得又直又稳，独自在一边玩了。

他在房间里到处爬，好奇地打量着周围的一切。

将近一岁大时，宝宝就能站起来走路了，而且开始学着说话了。

爸爸 妈妈

爸爸和妈妈去上班的时候，会把宝宝送到托儿所里。

托儿所的老师一整天都会
细心地看护着他。

在游泳池里，
宝宝喜欢浮在
水面上玩耍。

包在婴儿袋中，
宝宝就可以跟着
爸爸去很多地方了。

在汽车里，宝宝
会坐在专门的
儿童座椅上。

爸爸妈妈把宝宝放在儿童手推车里，带他出去认识周围的
世界。在公园里，宝宝好奇地观察着周围发生的一切。

宝宝喜欢……

宝宝喜欢被抱在怀中， 喜欢得到爱抚， 喜欢在澡盆中玩耍，

喜欢和兄弟姐妹 一起玩捉迷藏， 喜欢把玩具到处扔， 再让你捡起来。 当宝宝高兴的时候， 他会开心地咯咯笑。

宝宝不喜欢……

宝宝不喜欢
太大的声音，

不喜欢粗鲁的
动作，

不喜欢脏脏的尿布，

不喜欢一个人待在陌生
的地方。

如果宝宝不高兴了，他就会放声
大哭，但是要想知道他为什么
哭，可不是一件容易的事。

你知道吗？

很小很小……

妈妈怀孕两个月时，肚子里的宝宝只有几克重。

到了出生的时候，宝宝的体重就达到了3千克，重了1000多倍！

很圆

妈妈怀孕时会长胖10到12千克，这相当于一个两岁孩子的体重！

一个漂亮的宝宝

出生时，宝宝的体重差不多有3千克，身高有50厘米。

大头

宝宝的头都特别大，
占整个身长的三分之一。

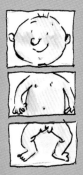

大家庭

有时候，妈妈会一次生好几个宝宝！
宝宝一个接一个地从妈妈肚子里
出来，但这种情况非常少见……

好胃口

新生宝宝的胃口很大，
一天需要吃 5 到 8 次奶。

宝宝很贪睡

新生宝宝一天要睡 16 个小时，
他醒来只是为了吃奶。